鬼⁴鬼⁴ ✕ 吳映潔

GHOST ♥ EMMA

FOLLOW YOUR HEART. ENJOY YOU LIFE.

獅子底下的兔子

　　進入演藝圈也有個說長不長說短不短的時間了，如果你要問我有什麼藝人好友，第一個想到的一定是這位跟著我一起長大，一起有過各種回憶，就像我親妹妹一樣的鬼鬼——吳映潔。

　　獅子座的她，擁有一切這個星座應該有的特質，好強、獨立、不服輸、愛面子，當然也包括唯我獨尊的氣勢。我們是在2007年因為拍戲而認識，一直以來沒變的是，在工作現場她都是大家的歡樂來源，永遠都是極有活力，只要話匣子打開就停不下來，也由於年紀時常是全劇組最小的，哥哥姐姐們都特別疼愛這位頑皮鬼，她說：「我就是想讓大家跟我工作起來都是很開心的。」——這點，跟我很像，這是身為藝人難能可貴的想法；然而，當你以為她的歡笑開朗就是她的一切時，再往裡一看，你會發現這隻獅子的外表下藏著一隻溫柔的兔子！她雖然堅強，但她的堅強有時是因為不得已；她的年紀應該有的快樂和自由，其實沒什麼機會享受到；她的不服輸有時是因為有輸不起的壓力。

　　是的，就像你我一樣，我們有很多背後的故事，正因為有這些故事才造就每個不同的個體，用淺略的字句實在難以表達一個人的多維空間，人，本身就是立體多樣的！不管你認識的鬼鬼是什麼樣子，放下心裡既定的印象，透過這本書認識另一種鬼鬼的樣子，你，會更喜歡這位——活潑、開朗，卻藏著老靈魂的——吳映潔。

炎亞綸

首先.你要承認、
你常畫的那隻蜜蜂鬼
是學我的……

還有啊.你要不要考慮出一本
專門敘述你都亂買
了啥的書.好像更
有看頭吧～…
自己哥哥說話比較
尖銳.妹你不會生氣吧?
哈哈哈哈哈哈哈哈哈.
好啦!!鬼鬼棒棒!
加油啦!
2015.

小鬼(黃鴻升)

2014
　　8月初的時候，我到了公司開会…
開什庅会呢？是一本書…什庅書呢？
貌似是宮真書 OH MY GOD!!!!!
心裡 OS 是…露什庅好呢？？ OH NO!
挑單戈似乎太大了！我走的路線不是露。
怎庅辦呢？想這些不如開始
開会討論!! 3小時过去了～
我想了很多鬼點子很多天馬行空的！
比如說……… 我忘了！
後來從中取了平衡知想做的事。
這是一本花了很多 time 很多人力
很多心力很多腦力的宮真書!!!
希望看的人們，可以品嚐裡面的
♦鬼鬼吳映潔♦ 請享用！
2015

你有沒有想對未來的你說些什麼呢？ex送你一朵花之類的（開玩笑⋯）

給你吃一口！
笑一个嘛 ☺

彩色想法，快樂了起來。

彩色階梯，繽紛了起來。

陽光從指尖穿透…
像一絲絲即將出現！

有夢最美

腿好長喔～

這是什麼呀?!

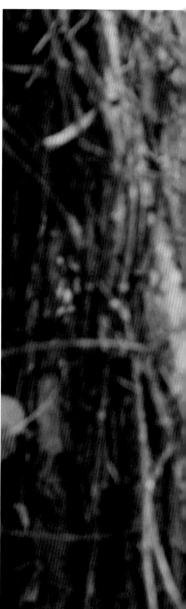

隨手撿起的枯葉，
生活隨時賦予生機。

聽聽自己的心，

　　看看自己擁有的⋯

閉上眼…
　總是会有很多画面，
關於友情、愛情、親情～
　像家人的友情，
　又愛又恨的愛情，
　總是放在心裡里的親情，
人生是一本好精彩的故事書！

　　　Ps 能當人類好幸福♡

笑一笑，
　就過了！

LOOK BUT DON'T SPEAK.

SOMETIMES IT'S BETTER TO KEEP ONE EYE CLOSED.

GHOST♥EMMA

未來的我，很？

現在的我，很快

以前的我，很急

當你或妳⋯
　　不開心的時候！

　　記得 我正對你或妳笑著！
告訴你或妳 沒什麼大不了的。

街拍中……

We are family!

下午茶時間

高彈一曲

啾

帥哥！

amazing!!

準備坐小飛機囉！

我愛逛市集！

你可以再靠近一點？

Rock!

老鷹的毛！

起飛囉

澳洲好美好棒！

你比我重吧！

我要偷親你一下！

小蛇與大蛇～

悠閒時光

我們一共＿＿人？

因為工作的關係去到了澳洲，原來澳洲是那麼的悠閒！讓人都放鬆了起來～

有影的地方就有光。
總有一道曙光☀
陰影之下，

GHOST♥EMMA

但不能忘了往之前看。
人可以後悔，

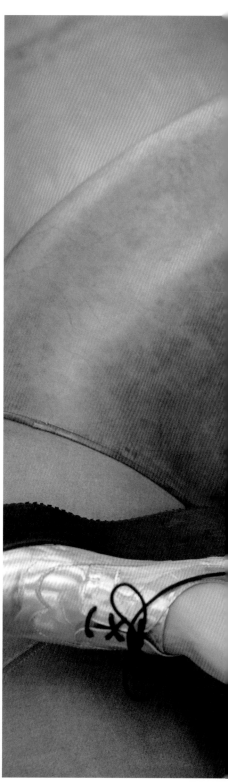

Don't worry about
what others think !
okkk ? ? ?

女孩有少女心 我也有

長髮飄飄

小撒嬌

三眼跟我回家吧！

必吃拉麵

好買好吃好玩之地——日本

靜靜的…

比什麼都重要···◊
比開開心心的笑著
4月

什麼都"沒有"‖？·
胡"思"亂"想"‖
這才是真正的我。

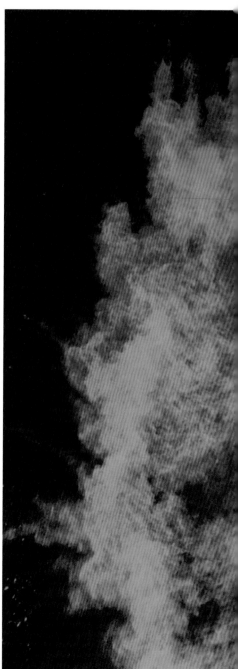

GHOST♥EMMA

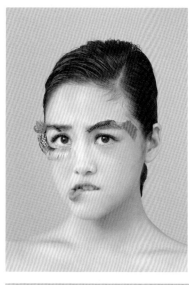

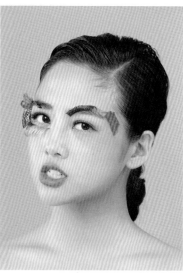

總是一體兩面。

我從高中
到現在的好姊妹

她是碩,
我們最愛打架!

她是口西,
她最喜歡說我笨!

厲害吧?

她是小yu,
也叫玩玩……因為她
就像我的玩具

笑什麼呢?

ZZZZZ

她是莓，
她總是很突如其來
的貼心！

我們總是很吵，
哈哈

某一天的巧合！
（驚訝）

拉
PULL

我LOVE
她們每個人

第一次滑雪耶～
真緊張！

摔倒了～～～

呼……
終於會滑了！

我與滑雪板
（帥吧！）

登山了～

真好玩

好開心的第一次滑雪!

姊弟們!

我們是小貓咪

January 18, 2015

哈~遊樂園留念

LA讓我享受家庭生活,好棒!

從小只有我一個小孩···
所以長大之後很想要兄弟姊妹。

最想要一个
OPPA
♡

girl or boy ?

不一樣的自己，一樣的 ♡。

可愛的鞋！

我們在
拍封面啦

CGC活動
全員到齊

小香肩～

鎖骨美嗎？

吳映潔是我

看誰呢？

我最敬愛的
陳嘉上導演！

每次幫我
化美美的澄

閉眼笑！

我希望工作時可以
帶給所有人歡樂，
我愛我的工作人員，
以及我的工作。

收工啦！

幕後
小花絮
Gallery
拍攝的過程雖辛苦
卻充滿著美好回憶

我學得像嗎？

這什麼pose...

嘻嘻嘻……

GaGa
你累了嗎？

好喝嗎？

突發奇想
的道具

我們最時尚！

除了感謝還是感謝
大夥們辛苦是值得的

這本寫真書用了"無數個"攝影師，花了好多的時間才完成拍攝，辛苦了各位！謝謝尖端總編輯Peter哥、美少女攝影教主黑麵、大俠攝影教室的大俠老師、fuss-photo攝影工作室的蕭希如與Hugo、獲獎無數的新銳攝影藝術家張哲榕、寶麗來秀卿姐、Moore(Jolin)、屁澄工作室的屁跟澄、王菱姊……謝謝大家！辛苦了。

鬼鬼×吳映潔
GHOST ♥ EMMA

作　　者／鬼鬼（吳映潔）
文　　字／鬼鬼（吳映潔）
經紀公司／寶麗來國際娛樂股份有限公司
總 經 理／陳秀卿
經　　紀／陳怡菁、Moore

攝　　影／黑麵、大俠、蕭希如、Hugo、張哲榕
化　　妝／蔡依澄
髮　　型／Pauline、王菱
造型協力／Jefi Kao

發 行 人／黃鎮隆
協　　理／陳君平
總 編 輯／邱元鴻
資深主編／王文鍵
美術總監／沙雲佩
美術編輯／林慧玟
協力美編／劉晏誠、鍾睿紘
活動企劃／邱小祐、陶若瑤
廣告專線／（02）2500-7600／邱元鴻（分機1501）

發行
英屬蓋曼群島商家庭傳媒股份有限公司城邦分公司　尖端出版
台北市104中山區民生東路二段141號10樓
電話／（02）2500-7600　傳真／（02）2500-1979

出版
城邦文化事業股份有限公司　尖端出版
台北市104中山區民生東路二段141號10樓
電話／（02）2500-7600　傳真／（02）2500-1979
網址／www.spp.com.tw　E-mail／marketing@spp.com.tw
客服信箱E-mail／digi_camera@mail2.spp.com.tw

書籍訂購
網址／www.spp.com.tw　劃撥專線／（03）312-4212
戶名／英屬蓋曼群島商家庭傳媒股份有限公司城邦分公司
帳號／50003021
法律顧問／通律機構　地址／台北市重慶南路二段59號11樓
國內經銷商
中彰投以北（含宜花東）經銷商／高見文化行銷股份有限公司
電話／0800-055-365　傳真／（02）2668-6220
嘉義（雲嘉以南）經銷商／威信圖書有限公司
地址／600嘉義市文化路855號
電話／（05）233-3852　客服專線／0800-028-028
高雄經銷商／威信圖書有限公司
地址／814高雄縣仁武鄉考潭村成功路127-6號
客服專線／0800-028-028

海外經銷商
馬新／城邦（馬新）出版集團　Cite（M）Sdn Bhd
電話／603-9057-8822　傳真／603-9057-6622
E-mail／cite@cite.com.my
大眾書局（新加坡）　POPULAR（Singapore）
電話／65-6462-9555　傳真／65-6468-3710
E-mail／feedback@popularworld.com
大眾書局（馬來西亞）　POPULAR（Malaysia）
電話／603-9179-6333　傳真／03-9179-6200、03-9179-6339
客服諮詢熱線／1-300-88-6336
E-mail／popularmalaysia@popularworld.com
香港／城邦（香港）出版集團　Cite（H.K）Publishing Group Limited
電話／2508-6231　傳真／2578-9337
E-mail／hkcite@biznetvigator.com

版次／2015年3月1版1刷

國家圖書館出版品預行編目資料

鬼鬼×吳映潔／吳映潔[作]；-- 初版.
　-- 臺北市：尖端, 2015.3　面；　　公分

　ISBN 978-957-10-5777-4（平裝）

855　　　　　　　　　　　　　　103018934

特別感謝
場地贊助／真愛桃花源　婚紗攝影基地、Francis&1/2AM Photo studio、大俠攝影教室、繽紛樂園
假髮贊助／寶島假髮
服裝贊助／

指甲油獨家贊助／